Pop cakes

Stéphanie de Turckheim

Tana
éditions

Sommaire

Pop cakes sucrés

Pop cakes salés

Introduction

Les pop cakes sont des gâteaux-sucettes réalisés à partir de gâteau mixé ou émietté, dans lequel on rajoute du fromage frais ou de la pâte à tartiner. Ils sont ensuite glacés, décorés puis piqués sur un cure-dents, ou une petite brochette. On les présente généralement en bouquet ou piqués sur une assiette. C'est la folie aux États-Unis, et ils arrivent chez nous pour notre plus grand plaisir ! Je me suis laissé prendre au jeu, mais la réalisation de ces gâteaux n'a pas toujours été facile. Après de nombreux essais, voici mes conseils afin de réaliser les pop cakes les plus jolis, rigolos ou ludiques.

Pour ce qui est de la réalisation des gâteaux sucrés, il vaut mieux préparer vous-même vos pâtes de chocolat avec du chocolat noir extra. Cela permet de réaliser des bouchées allégées en sucre, et de conserver un vrai goût de chocolat. Vous pouvez aussi utiliser du fondant déjà prêt ou du glaçage royal à réhydrater, cela sera plus facile que de les confectionner vous-même.

Concernant le glaçage au chocolat, il faut du chocolat de couverture ou du *candy melts*. Le *candy melts* est un produit spécial pour les pop cakes et leur glaçage. Il se présente en sachets sous forme de pastilles de chocolat colorées, légèrement aromatisées à la vanille. Elles sont très pratiques, car elles fondent facilement au bain-marie et forment une mixture qui sèche et durcit rapidement. C'est un produit incontournable, d'autant plus que l'on commence à le trouver partout.

Vous trouverez facilement de la pâte à sucre colorée, qui vous servira à réaliser des feuilles, des fleurs et toutes sortes d'éléments de décoration à coller sur un gâteau. Elle s'étale au rouleau et ressemble à de la pâte à modeler. La pâte d'amandes vous sera aussi très utile. On peut facilement la façonner et dessiner dessus, ce qui donne un très beau rendu. Pour trouver de petits emporte-pièces, les magasins asiatiques en proposent de toutes sortes pour les bentos.

Procurez-vous également différents colorants, dont les couleurs sont variées et gaies. Il existe ainsi des peintures alimentaires à étaler au pinceau ou des feutres alimentaires. Une petite pulvérisation, et toutes vos créations prendront un vrai air de fête ! Ensuite, amusez-vous avec les bonbons et les décorations en sucre de toutes sortes... Dès que vous trouvez des bonbons originaux, achetez-en une poignée et conservez-les. C'est aussi comme cela que les idées viendront.

Enfin, et pour terminer, découpez une plaque de polystyrène afin d'y piquer facilement les pop cakes pour qu'ils sèchent correctement... Et maintenant, à vous de jouer !

Le top ten des produits pour pop cakes

Fromage à la crème (Saint-Moret®, Kiri® ou Philadelphia®)

Un fromage frais crémeux de texture lisse qui servira de liant. Ces fromages ont un goût neutre et s'accordent aussi bien avec un accompagnement salé que sucré.

Tapenade verte ou noire

Ces « confitures ou confits d'olives » sont forts en goût et relèvent agréablement les pâtes à gâteau. Vous en trouverez facilement et partout. Un conseil cependant, si vous les utilisez, ne salez pas trop vos préparations, car ces pâtes sont en général assez salées.

Purée confite : tomates, artichauts ou poivrons

Très faciles à réaliser, ces purées sont délicieuses et parfument à souhait toutes les pâtes pour vos préparations salées.

Ingrédients : 1 bocal de tomates séchées à l'huile • 5 pincées de poivre concassé • 3 pincées de piment de Cayenne • 1 pincée de sel

Retirer les tomates du bocal et les mettre dans le bol d'un mixeur. Ajouter 1 c. à s. d'huile du bocal en prenant également les petites herbes qui se sont déposées au fond. Mixer en purée. Ajouter plus ou moins d'huile selon la consistance de la purée. Verser dans un petit bol et ajouter le poivre, le piment et le sel. Mélanger et rectifier l'assaisonnement.

Pâte de spéculoos

Je la prépare moi-même, mais maintenant, on la trouve toute prête en supermarchés, et c'est un délice. À toujours avoir à la maison !

Ingrédients : 125 g de beurre frais • 200 g de spéculoos • 3/4 d'une boîte de lait concentré sucré de 39,7 cl • 1 c. à s. d'huile

Faire fondre le beurre dans une casserole. Mettre les spéculoos dans le bol d'un mixeur et les réduire en poudre. Ajouter la poudre des biscuits dans la casserole puis verser le lait concentré sucré. Battre au fouet jusqu'à l'obtention d'une pâte lisse et onctueuse. Ajouter l'huile pour lisser la préparation.

Pâte au chocolat noir, au lait, blanc

Les pâtes au chocolat sont des ingrédients de base dans la réalisation de pop cakes sucrés. Elles sont à réaliser soi-même ou à acheter toutes faites ! Il existe une multitude de pâtes de marques différentes. C'est à vous de trouver celle qui sera à votre goût, ou de tenter la recette suivante.

Ingrédients : 180 g de sucre en poudre • 15 cl de lait demi-écrémé • 10 cl de crème fraîche • 200 g de chocolat au lait • 40 g de beurre

Faire un caramel à sec en versant le sucre dans une poêle. Laisser blondir en remuant sans cesse à l'aide d'une cuillère en bois. Stopper la cuisson en ajoutant le lait et la crème. Ajouter le chocolat cassé en morceaux et le beurre. Mélanger au fouet afin d'éviter les grumeaux. Verser dans un pot et laisser refroidir.

Lemon curd

C'est une pâte au citron anglaise que vous trouverez facilement dans les rayons « saveurs du monde » des supermarchés. Si vous n'arrivez pas à vous en procurer, en voici la recette ; la pâte se conservera pendant quelques jours au réfrigérateur. Très acidulée, cette pâte relève bien les gâteaux comme les biscuits de Savoie, les génoises ou les cakes tout simples.

Ingrédients: 3 œufs • 150 g de sucre fin • 40 g de beurre • Le jus de 3 citrons

Battre les œufs et le sucre dans un saladier. Faire fondre le beurre dans une casserole et y ajouter le mélange précédent ainsi que le jus de citron. Chauffer de façon que le mélange épaississe, en remuant sans cesse. Verser dans un pot et laisser refroidir.

Variante

On peut décliner la recette en remplaçant les citrons par des oranges pour un orange curd.

Pâte au caramel, nature ou au beurre salé

Avec un gâteau au chocolat, c'est incroyablement bon !

Ingrédients : 100 g de sucre en poudre • 20 cl de crème liquide à température ambiante • 50 g de beurre salé de Guérande

Faire un caramel à sec : verser le sucre dans une poêle et chauffer en remuant jusqu'à ce que le sucre devienne liquide et coloré. Ajouter la crème liquide, puis le beurre, en remuant sans cesse. Mélanger jusqu'à l'obtention d'un mélange homogène. Verser dans un pot et laisser refroidir. Le caramel va s'épaissir en refroidissant.

Beurre de cacahuètes

On en trouve dans les rayons « saveurs du monde » ou « US » des supermarchés. Il existe en deux versions, lisse ou *crunchy*, c'est-à-dire avec de petits morceaux. Cette pâte apporte aux recettes un petit goût de cacahuète très agréable.

Pâte de calissons

Il s'agit d'un mélange de fruits confits et d'amandes en crème lisse. Elle a un goût très fin, il faut donc l'ajouter de préférence dans des préparations assez neutres.

Marmelades et compotes épaisses

Pour vos pop cakes sucrés, utilisez des gelées ou des marmelades épaisses. Par exemple, de la compote de cerises avec un gâteau au chocolat ou de la marmelade de pamplemousses avec un gâteau au citron. Ces mariages de saveurs apportent de la fraîcheur aux préparations.

Étapes de réalisation des pop cakes

La plupart des pop cakes suivent le même mode de préparation. Voici la liste des étapes à respecter dans la confection de vos pop cakes :

- préparer le gâteau, le cuire et surtout attendre qu'il soit complètement refroidi ;
- l'émietter et le redensifier avec une pâte ;
- laisser au minimum 1 heure au frais pour que cela durcisse ;
- préparer un glaçage ;
- décorer ;
- laisser sécher.

Attention à prévoir du temps pour préparer vos pop cakes en raison des temps d'attente et de séchage entre les différentes étapes !

POP CAKES SALÉS

Farandole de crabe

Pour 30 pop cakes • **Cuisson :** 20 minutes

Ingrédients : 375 g de farine à levure incorporée • 40 g de parmesan râpé • 200 g de chair de crabe égouttée • 2 c. à s. de ciboulette • 1 c. à s. de zestes de citron • 2 œufs frais • 25 cl de lait • 125 g de beurre • 2 boîtes de Saint-Moret® • 1 boîte de minibouchées à la reine • 2 ou 3 bâtonnets de crabe • 5 brins de ciboulette • Sel

1 | Verser la farine dans un saladier et y ajouter le parmesan et 1 pincée de sel. Ajouter la chair de crabe bien égouttée et coupée si nécessaire. Ciseler la ciboulette. Ajouter la ciboulette et les zestes de citron au mélange précédent. Casser les œufs dans un bol et verser le lait. Battre à la fourchette afin d'obtenir un mélange homogène.

2 | Faire fondre doucement le beurre dans une casserole et l'ajouter au mélange lait-œufs. Bien mélanger et verser dans le saladier. Préchauffer le four et remplir aux 3/4 des moules à muffin. Faire cuire au four à 180 °C pendant 20 minutes environ puis laisser refroidir sur une grille.

3 | Enlever le papier des muffins et les mettre dans un saladier. Les écraser à l'aide d'une fourchette. Commencer par 2 muffins, c'est plus facile. Ajouter ensuite du Saint-Moret® et bien mélanger afin d'obtenir une crème.

4 | Préchauffer ou pas les minibouchées et les remplir de crème. Décorer chacune d'elles de 1 rondelle de bâtonnet de crabe et de 1 brin de ciboulette.

Cônes poire cantal

Pour 30 pop cakes • **Cuisson** : 40 minutes
Ingrédients : 150 g de farine à levure incorporée • 200 g de cantal râpé • 2 poires •
1 pincée de noix muscade râpée • 4 œufs • 10 cl de lait • 1 c. à s. d'huile fruitée •
Beurre • 1 paquet de crème de roquefort (environ trois quarts en fonction de la pâte) •
4 ou 5 brins de persil • Cônes déco (en grandes surfaces, en général non loin des biscottes)

1 | Préchauffer le four à 180 °C. Verser la farine dans un saladier et y ajouter le cantal râpé.
Éplucher les poires, les couper en deux et enlever les parties dures du milieu. Les couper
ensuite en petits morceaux. Les ajouter à la pâte et mélanger brièvement. Ajouter aussi la
pincée de noix muscade.

2 | Casser les œufs dans un bol et verser le lait. Battre à la fourchette pendant quelques
minutes puis verser dans la préparation précédente. Ajouter l'huile et bien mélanger.
Beurrer un moule à cake ou le chemiser avec du papier sulfurisé. Verser la préparation
et laisser cuire pendant 40 minutes environ. Sortir du four et démouler sur une grille.
Attendre que le cake soit refroidi pour l'utiliser.

3 | Couper le cake et deux et mettre une moitié dans un saladier. Réduire en miettes à l'aide
d'une fourchette. Ajouter petit à petit la moitié de la crème de roquefort et bien mélanger
pour obtenir une consistance bien crémeuse. Ajouter la moitié des brins de persil ciselés.
Faire des boules ou remplir des petits cônes. Répéter les étapes précédentes avec la
seconde moitié du gâteau.

Astuce

Si vous ne trouvez pas de crème de roquefort, mélangez un roquefort avec de la crème
épaisse ou du carré frais.

Boules pop de poulet

Pour 30 pop cakes • **Cuisson** : 5 minutes
Ingrédients : 200 g de blanc de poulet • 1/2 citron confit • 2 c. à s. de tapenade •
2 c. à s. de basilic • 3 c. à s. d'huile d'olive • 1 blanc d'œuf • 1 verre de chapelure •
1 petit concombre • 1 pincée de poivre

1 | Couper le poulet en gros morceaux et le mettre dans le bol d'un mixeur. Ajouter
le demi-citron confit, la tapenade, le basilic, le poivre et 2 c. à s. d'huile d'olive.
Mixer finement. Prendre un peu de ce mélange à l'aide d'une cuillère et façonner
des boulettes.

2 | Verser le blanc d'œuf dans un bol et la chapelure dans une assiette. Rouler
les boulettes dans le blanc d'œuf puis dans la chapelure.

3 | Faire chauffer une poêle avec le reste d'huile et y faire revenir les boulettes. Décorer
chacune d'elles avec 1 rondelle de concombre. Déguster chaud ou tiède.

Astuce

Proposez avec ces pop cakes de poulet une petite sauce au fromage blanc. Versez
un peu d'huile et 1 c. à s. de moutarde forte dans du fromage blanc puis ajoutez
des herbes fraîches ciselées.

Roses de chorizo

Pour 30 pop cakes • **Cuisson :** 20 minutes
Ingrédients : 140 g de farine à levure incorporée • 75 g de chorizo •
2 c. à s. de parmesan râpé • 2 œufs extra-frais • 4 c. à s. de lait • 50 g de beurre •
2 boîtes de fromage frais • 1 paquet de chorizo en grandes tranches • 1 botte
de ciboulette • 1 pincée de poivre

1 | Préchauffer le four à 180 °C. Verser la farine dans un saladier. Enlever la peau du chorizo,
le détailler en petits morceaux et l'ajouter à la farine. Ajouter le parmesan.

2 | Casser les œufs dans un bol et y verser le lait. Battre rapidement à la fourchette. Faire
fondre le beurre et l'ajouter. Bien mélanger et poivrer. Répartir la pâte dans des moules à
madeleine et laisser cuire pendant 20 minutes environ en surveillant. Démouler et laisser
refroidir sur une grille.

3 | Mettre la moitié des madeleines dans un saladier et les écraser à la fourchette. Ajouter
petit à petit du fromage frais jusqu'à ce que le mélange devienne pâteux. Faire ensuite
des billes de pâte en les roulant dans la paume des mains. Répéter les étapes précédentes
avec le reste des madeleines. Déposer 1 bille au milieu de chaque grande tranche
de chorizo et en rabattre les côtés. Ficeler avec de la ciboulette.

Astuce

En fonction des goûts, préférez un chorizo fort ou doux. Dans le doute, le mieux est de
mettre dans la pâte un chorizo doux. Vous pouvez aussi varier les pop cakes en en entourant
certains de 1 tranche de chorizo fort avec 1 brin de ciboulette et d'autres de 1 tranche de
chorizo doux avec 1 brin de persil.

Fleurs de chèvre frais

Pour 30 pop cakes
Ingrédients : 1 chèvre frais de type Petit Billy® • 1 c. à c. de gingembre frais •
1 c. à c. de piment d'Espelette • 1 botte de menthe fraîche

1 | Prendre un petit morceau de chèvre frais, ajouter du gingembre et du piment d'Espelette ou les épices de votre choix au centre puis ajouter un petit morceau de chèvre par-dessus. Former une boule entre les mains. Bien veiller à ce que les épices ne soient pas apparentes, afin qu'elles soient une découverte en bouche.

2 | Recommencer l'opération jusqu'à épuisement des ingrédients. Déposer les boules dans des petits papiers de couleur et déposer des feuilles de menthe fraîche tout autour. Réserver au frais avant de servir.

Variantes

Pour obtenir des fleurs colorées, vous pouvez les rouler dans du paprika, du curry ou du cumin.
Il est également possible de les proposer avec des cœurs croustillants en mixant des biscuits à apéritif et en les incluant au centre.
Pour une saveur plus forte de chèvre, râpez un crottin de Chavignol et mélangez-le au chèvre frais.

Balles de Parme

Pour 30 pop cakes • **Cuisson** : 40 minutes
Ingrédients : 150 g de farine à levure incorporée • 200 g de jambon ou de lardons •
150 g d'olives noires dénoyautées • 80 g de comté râpé • 2 c. à s. de ciboulette déshydratée •
4 œufs • 10 cl de lait • 1 c. à s. d'huile d'olive fruitée • 1 fromage à la crème (Kiri®,
Philadelphia® ou Saint-Moret®) • 10 tranches de jambon de Parme • 1 botte de ciboulette

1 | Préchauffer le four à 180 °C. Verser la farine dans un saladier. Ajouter le jambon coupé en
petits morceaux et les olives coupées en deux ou en quatre puis le comté et la ciboulette.

2 | Casser les œufs dans un bol, ajouter le lait et fouetter rapidement. Verser dans le mélange
précédent en remuant bien. Ajouter l'huile d'olive. Mélanger.

3 | Huiler ou couvrir de papier sulfurisé un moule à cake. Y verser la pâte et faire cuire au
four pendant 40 minutes environ. Vérifier la cuisson en piquant un couteau dans le cake.
Une fois le cake cuit, le démouler et le laisser refroidir sur une grille.

4 | Couper le cake en deux. Écraser la moitié du cake dans un saladier à l'aide d'une
fourchette. Quand il est émietté, ajouter du fromage à la crème jusqu'à obtention
d'une pâte collante. Façonner des boules dans la paume des mains. Répéter les étapes
précédentes avec le reste du cake.

5 | Dégraisser le jambon. Piquer chaque boule et l'entourer de jambon. Terminer en les
entourant de ciboulette et faire délicatement un nœud.

Pizza party

Pour 30 pop cakes • **Cuisson** : 20 minutes

Ingrédients : 375 g de farine à levure incorporée • 40 g de pecorino • 75 g d'olives noires dénoyautées • 75 g de tomates séchées • 2 c. à s. d'origan • 2 œufs • 25 cl de lait • 125 g de beurre • 1 pot de mascarpone de 250 g • 1 paquet de Kiri® • 1 barquette de grosses tomates cerises ou de tomates en grappe • 2 tiges de basilic • Sel

1 | Verser la farine dans un saladier, ajouter 1 pincée de sel et le pecorino. Couper les olives et les tomates séchées en petits morceaux. Mélanger, puis ajouter l'origan. Casser les œufs dans un bol et ajouter le lait. Battre à la fourchette. Faire fondre le beurre dans une casserole à feu doux et le verser dans le mélange précédent. Bien remuer le tout afin d'obtenir une préparation bien homogène.

2 | Préchauffer le four à 180 °C. Remplir à moitié des petits moules à muffin et faire cuire pendant 20 minutes environ. Laisser refroidir sur une grille.

3 | Mettre quelques muffins dans un saladier et les réduire en miettes à l'aide d'une fourchette. Ajouter petit à petit le mascarpone jusqu'à ce que la pâte soit collante.

4 | Découper deux grandes feuilles de papier sulfurisé, déposer un peu de pâte sur une feuille, déposer l'autre feuille par-dessus et étaler sur un peu moins de 1 cm à l'aide d'un rouleau à pâtisserie. Rajouter des miettes de muffin si cela colle trop. Laisser au frais pendant 1 h.

5 | Découper un triangle dans un carton ou une feuille semi-rigide puis s'en servir comme patron pour découper des triangles de pâte. Découper ensuite des triangles de Kiri®. Poser 1 triangle de fromage sur 1 triangle de pâte puis recouvrir d'un autre triangle de pâte. Ajouter 1 rondelle de tomate et 1 feuille de basilic.

Variante rapide

1 paquet de triangles pour apéritif • 1 paquet de Kiri® • 1 branche de tomates en grappe • 3 ou 4 tiges de basilic

Poser 1 triangle pour apéritif sur une assiette. Déposer un autre triangle sur le Kiri® et couper. Poser le tout sur le premier triangle et décorer comme précédemment avec 1 rondelle de tomate et 1 feuille de basilic. Faire de même pour les autres triangles.

Poissons volants

Pour 30 pop cakes

Ingrédients : 1 boîte de sardines sans arêtes • 20 g de beurre doux à température ambiante • 1/2 citron • 1 gros jaune d'œuf dur ou 2 petits • 2 c. à s. de chapelure • 6 ou 7 tranches de gouda • 1 c. à s. de graines de coriandre (pour les yeux)

1 | Verser les sardines dans un saladier et les écraser à la fourchette. Ajouter le beurre, le jus du demi-citron et le jaune d'œuf dur. Bien mélanger à la fourchette puis à la cuillère en bois. Il faut obtenir une pâte.

2 | Façonner des boules ou des formes à l'emporte-pièce, les rouler dans la chapelure et laisser reposer au frais pendant 2 heures au minimum. Servir bien frais.

3 | Découper des formes de poisson dans le fromage à l'emporte-pièce. Les coller sur la pâte en appuyant dessus, ou en rajoutant un peu de beurre ou de fromage frais. Faire un œil aux poissons avec 1 graine de coriandre.

Variantes

Utilisez des sardines aromatisées : piquantes, au citron, à l'anchois, à l'huile d'olive.
Fabriquez une chapelure maison en écrasant des biscottes, puis en ajoutant au choix des graines et/ou des épices.

UK burgers

Pour 30 pop cakes • **Cuisson :** 5 minutes
Ingrédients : 200 g de viande hachée • 2 c. à s. d'huile d'olive • 1 oignon •
1 c. à s. d'huile pour la cuisson • 1 pain de mie en tranches • 1 paquet de fromage
en tranches • 3 tomates • 1 laitue • Sel et poivre

1 | Mettre la viande hachée dans un saladier et l'assaisonner. Ajouter l'huile d'olive. Hacher finement l'oignon et l'incorporer à la viande. Saler et poivrer. Former de petites galettes dans les mains et les faire cuire à la poêle avec un peu d'huile pendant 5 minutes.

2 | Faire griller les tranches de pain de mie et les découper à l'emporte-pièce. Découper les tranches de fromage en carrés et détailler les tomates en fines rondelles.

3 | Assembler en burgers de la salade, de la viande, du fromage, de la tomate et du pain. Planter le tout sur des piques et proposer avec du ketchup ou de la mayonnaise. Il est déconseillé de mettre la sauce dans les burgers, car elle coulerait.

Variante

Ajoutez une autre tranche de fromage, du bacon ou des cornichons. Pour changer du bœuf, vous pouvez également faire des galettes de poulet au citron proposées précédemment (voir p. 15). Dégustez alors avec de la salade et 1 tomate.

Bouquet croquant

Pour 30 pop cakes

Ingrédients : 1 paquet de Tuc© ou de gressins nature • 50 g de beurre doux ramolli •
1 boîte de Vache qui rit® de 200 g • 1 c. à s. de crème fraîche épaisse • 1 c. à s. de poivre
noir grossièrement concassé • 1 c. à s. de ciboulette ciselée • 1 c. à s. de coriandre ciselée •
1 c. à s. de persil ciselé • 2 olives noires

1 | Mettre les Tuc® ou les gressins dans le bol d'un mixeur. Ajouter le beurre ramolli et mixer
finement. On doit obtenir une boule de pâte ; dans le cas contraire, ajouter du beurre.
Déposer cette pâte dans des minimoules à tartelette et bien presser afin de former le fond
des tartelettes. Laisser durcir au frais pendant 1 heure environ.

2 | Pendant ce temps, ouvrir les portions de Vache qui rit® et les mettre dans un bol. Ajouter
la crème et le poivre, écraser puis faire tourner en crème.

3 | Sortir les tartelettes du réfrigérateur et les démouler. Cela ne pose aucun problème si l'on
a des petits moules en fer. Garnir les moules de crème et décorer avec des herbes ciselées
ou des rondelles d'olive.

Variante
Remplacez la Vache qui rit® par de la crème de camembert, du Boursin® ou de la brousse.

Boules de nature

Pour 30 pop cakes • **Cuisson :** 15 minutes
Ingrédients : 65 g de parmesan râpé • 200 g de sucre glace • 60 g de poudre
d'amandes • 3 blancs d'œufs • 1 bloc de pâte d'amandes non sucrée ou purée d'amandes •
1 c. à c. de poivre blanc • 2 c. à s. d'herbes ciselées • 2 c. à s. de graines de sésame blanc •
2 c. à s. de graines de sésame noir

1 | Remixer le parmesan, le sucre glace et la poudre d'amandes. Verser ces ingrédients dans un bol et les mélanger.

2 | Monter les blancs d'œufs en neige ferme. Les incorporer délicatement au mélange précédent. Déposer des petits tas de pâte sur une plaque garnie de papier sulfurisé à l'aide d'une cuillère à café puis laisser reposer (ou croûter) pendant 1 heure. Préchauffer le four à 140 °C puis faire cuire pendant 15 minutes environ. Laisser refroidir sur une grille.

3 | Mettre les macarons dans un saladier et les écraser grossièrement à la fourchette. Ajouter la pâte d'amandes et le poivre puis bien mélanger. Former des boules et les rouler dans des herbes, du sésame blanc ou du sésame noir.

Bouchées chinoises

Pour 30 pop cakes • **Cuisson** : 40 minutes
Ingrédients : 350 g de cabillaud • 1 c. à s. de vinaigre d'estragon • 3 pommes de terre •
15 g de beurre • 1 pincée de piment • 2 c. à s. de poudre de tomates •
4 c. à s. de chapelure • 2 c. à s. d'huile • Sel et poivre

1 | Faire pocher le poisson à feu doux dans une casserole d'eau salée et légèrement vinaigrée pendant une dizaine de minutes. Égoutter le poisson et le déposer dans un saladier.

2 | Faire cuire les pommes de terre dans une autre casserole puis les éplucher. Ajouter les pommes de terre et le beurre en morceaux au poisson puis écraser à la fourchette. Ajouter un peu de bouillon (l'eau dans laquelle le poisson a cuit) si la préparation est trop épaisse. Épicer avec le piment, du sel et du poivre puis colorer avec la poudre de tomates. Bien mélanger.

3 | Former des bâtonnets et les rouler dans la chapelure. Faire chauffer une poêle avec l'huile et y faire cuire les bâtonnets pendant un peu moins de 10 minutes en les surveillant. Les couper en cubes et servir chaud.

Astuce
Vous pouvez les servir avec une purée d'avocats au citron.

Billes orangées

Pour 30 pop cakes
Ingrédients : 4 carottes • 1 chèvre frais de type Petit Billy® • 1 pincée de cumin •
1 c. à s. d'huile d'argan • Sel

1 | Éplucher les carottes et les faire cuire dans une casserole d'eau bouillante salée. Quand
elles sont tendres, les égoutter et attendre qu'elles refroidissent. Les écraser ensuite
à la fourchette. Ajouter le chèvre, le cumin et l'huile d'argan. Goûter et ajouter
ou non du cumin au goût.

2 | Façonner des boulettes dans la paume des mains et réserver pendant 1 heure au minimum
au frais. Piquer les boulettes et servir.

Variante

Faites de même avec des brocolis ou de la betterave. Ajoutez un peu d'huile de sésame
au mélange aux brocolis et 1 goutte d'eau de rose au mélange à la betterave.

Kebabs de poche

Pour 30 pop cakes • **Cuisson :** 10 minutes
Ingrédients : 300 g d'agneau • 3 c. à s. de farine • 3 c. à c. de cumin • 1 pincée de piment fort en poudre • 2 c. à s. de coriandre ciselée • 1 c. à s. de concentré de tomate • 1 œuf • 2 c. à s. d'huile • 1 pain pita • 3 branches de coriandre • 1 c. à c. de poivre de Cayenne • Sel

1 | Mettre l'agneau, 1 pincée de sel, 1 c. à s. de farine, 1 c. à c. de cumin, le piment fort, la coriandre et le concentré de tomate dans le bol d'un mixeur. Mixer pendant 1 minute environ afin que le tout soit haché bien finement. Ajouter ensuite l'œuf et mixer à nouveau. La consistance doit être collante. Façonner des balles de rugby avec cette pâte dans la paume des mains.

2 | Mettre le reste de la farine et du cumin puis le poivre dans une assiette creuse. Mélanger de façon homogène. Y rouler la viande et réserver pendant 1 heure au frais afin que les saveurs se diffusent bien.

3 | Faire chauffer l'huile dans une poêle et y faire cuire les boulettes.

4 | Découper des disques dans le pain et les piquer avec 1 feuille de coriandre sur la viande à l'aide de cure-dents. Déguster chaud ou tiède.

Nichée d'œufs de caille

Pour 30 pop cakes • **Cuisson :** 5 minutes
Ingrédients : 12 œufs de caille • 1 fromage frais de type Philadelphia®
ou Saint-Moret® • 1 c. à s. de ciboulette ciselée • Sel et poivre

1 | Remplir d'eau une grande casserole et y faire cuire les œufs de caille pendant 5 minutes. Les passer sous l'eau froide puis les écaler délicatement. Attention à ne pas abîmer les œufs de caille, qui sont assez fragiles.

2 | Ôter le haut de chaque œuf et en vider les jaunes dans un bol. Saler et poivrer puis ajouter le fromage frais. Écraser le tout à la fourchette puis remplir les œufs de ce mélange. Terminer par la ciboulette.

Variante

À la place du fromage frais, mélangez le jaune d'œuf avec une mayonnaise aux herbes ou au curry. Pour faire la mayonnaise au curry, cassez 1 œuf dans un bol et ajouter 1 c. à s. de vinaigre de miel, 1 c. à s. de moutarde, 1 c. à c. de curry, 1 pincée de sel et 1 pincée de poivre. Mixez et ajoutez petit à petit de l'huile d'olive jusqu'à la consistance désirée.

POP CAKES SUCRÉS

Ice creams

Pour 30 pop cakes • **Cuisson :** 10 minutes

Ingrédients : 60 g de pistache pour pâtisserie • 80 g de beurre doux • 80 g de sucre glace • 80 g de farine • 70 g de poudre d'amandes • 2 œufs extra-frais • Gelée de framboise • 1 paquet de petits cônes pour glace • 250 g ou 4 ou 5 c. à s. de glaçage royal • Colorant alimentaire rose • Billes de sucre de couleur

1 | Hacher finement les pistaches au mixeur. Faire fondre 70 g de beurre dans une casserole à feu doux puis un peu plus fort pour qu'il soit noisette. Le passer au chinois et réserver.

2 | Préchauffer le four à 160 °C. Verser les pistaches dans un saladier puis y ajouter le sucre glace et la farine. Passer la poudre d'amandes au mixeur et l'ajouter au mélange. Verser le beurre fondu dans la préparation puis casser les œufs un à un. Bien mélanger.

3 | Verser la pâte dans un moule à tarte bien beurré ou dans des moules à financier. Faire cuire pendant 10 minutes environ en surveillant. Démouler et attendre que le gâteau refroidisse.

4 | Émietter le gâteau dans un saladier à l'aide d'une fourchette et ajouter un peu de gelée de framboise. Bien mélanger et en ajouter jusqu'à la consistance d'une pâte moelleuse. Remplir les cônes de pâte.

5 | Préparer le glaçage royal en y ajoutant un peu d'eau. Colorer la pâte à glaçage et la travailler en crème épaisse. Ajouter le glaçage sur les cônes, parsemer de sucre coloré et laisser sécher. Une légère croûte doit se former.

Bijoux chics

Pour 30 pop cakes • **Cuisson :** 25 minutes
Ingrédients : 60 g de beurre doux ramolli • 50 g de sucre blanc en poudre • 2 sachets de sucre vanillé • 1 œuf • 125 g de farine à levure incorporée • 1 pincée de sel • Pour la décoration : • 50 g de beurre • 30 g de sucre en poudre • 3 c. à s. de miel liquide • 160 g d'amandes effilées • Pâte au chocolat • 200 g de chocolat noir • 1 pot de glaçage royal de 250 g • 1 stylo gel rose • Billes en chocolat ou en sucre • Confettis en sucre

1 | Préchauffer le four à 180 °C. Couper le beurre en tranches et le mettre dans un saladier. Ajouter le sucre et le sucre vanillé puis mélanger en crème ou jusqu'à ce que le mélange blanchisse. Ajouter ensuite l'œuf, la farine et la pincée de sel. Bien mélanger, jusqu'à l'obtention d'une pâte.

2 | Garnir une plaque de papier sulfurisé et étaler la pâte en rectangle sur environ 1 cm d'épaisseur. Faire cuire pendant 20 minutes environ.

3 | Préparer les amandes. Mettre le beurre, le sucre et le miel dans une casserole. Faire chauffer doucement et, quand le mélange est liquide, ajouter les amandes. Laisser colorer légèrement.

4 | Quand la pâte est cuite, couler le mélange amandes-miel et faire cuire au four pendant 5 minutes. Sortir du four, attendre 5 minutes et couper en carrés ou en tranches.

5 | Pour réaliser les pop cakes, mixer le gâteau et ajouter de la pâte au chocolat. Pas trop, car cela colle vite. Façonner des palets ronds assez épais. Les déposer sur une plaque et laisser reposer au frais pendant 1 heure environ.

6 | Faire fondre le chocolat au bain-marie et y tremper la base des gâteaux. Faire ensuite fondre le glaçage royal et en déposer tout autour. Recouvrir le gâteau d'une couche de glaçage. Ne pas trop le diluer pour qu'il soit bien dense et qu'il se tienne bien. Laisser sécher. Former des demi-cercles en les modelant avec les doigts ou à l'aide d'une petite cuillère à café puis décorer avec du stylo rose au milieu puis avec des billes en chocolat ou en sucre et des confettis en sucre.

Happy Birthday

Pour 30 pop cakes • **Cuisson** : 30 minutes
Ingrédients : 200 g de chocolat • 135 g de beurre • 4 œufs • 200 g de sucre
en poudre • 100 g de farine à levure incorporée • 1 pot de pâte de caramel •
Pour le glaçage : 1 plaque de chocolat noir de couverture • 50 g de beurre •
1 pot de confettis en sucre • 1 paquet de Mikado® • 1 pincée de sel

1 | Préchauffer le four à 180 °C. Casser le chocolat en morceaux et les mettre dans une casserole. Ajouter 125 g de beurre en morceaux et laisser fondre doucement. Casser les œufs en séparant les blancs des jaunes. Ajouter le sucre aux jaunes et battre le mélange au fouet jusqu'à ce qu'il blanchisse. Mélanger au chocolat.

2 | Monter les blancs en neige ferme avec la pincée de sel. Les ajouter à la préparation au chocolat en alternant avec la farine.

3 | Verser la pâte dans un moule beurré et faire cuire pendant 30 minutes environ. Démouler et laisser refroidir sur une grille.

4 | Couper le gâteau en deux et l'émietter à l'aide d'une fourchette ou d'un mixeur. Ajouter de la pâte de caramel jusqu'à l'obtention d'une mixture à la consistance pâteuse. Tasser la pâte dans un moule à muffins puis répéter les étapes précédentes avec la seconde moitié du gâteau. Laisser reposer pendant 1 heure au frais.

5 | Préparer le glaçage en faisant fondre le chocolat et le beurre au bain-marie. Glacer le haut des gâteaux en les trempant délicatement dans le chocolat pour que le glaçage soit bien lisse. Les poser sur un plat, décorer avec les confettis en sucre et piquer 1 Mikado® au centre de chaque gâteau.

Donuts au chocolat

Pour 30 pop cakes • **Cuisson** : 30 minutes
Ingrédients : 1 pot de yaourt au lait entier • 3 pots de farine à levure incorporée • 2 œufs frais • 2 pots de sucre roux en poudre • 1 sachet de sucre vanillé • 1/2 pot d'huile d'olive fruitée • Beurre • 1 pot de pâte de caramel à la fleur de sel • 200 g de chocolat de couverture • Vermicelles de couleur • 1 pincée de sel

1 | Préchauffer le four à 180 °C. Verser le yaourt dans un saladier. Rincer le pot, le sécher puis s'en servir de mesure. Ajouter la farine en mélangeant bien. Casser les œufs un à un. Verser ensuite le sucre roux, le sucre vanillé, l'huile d'olive fruitée et la pincée de sel. Mélanger vigoureusement jusqu'à l'obtention d'une pâte lisse.

2 | Beurrer un moule ou le chemiser de papier sulfurisé. Verser la pâte et faire cuire pendant 30 minutes environ. Vérifier la cuisson en plantant dans le gâteau la pointe d'un couteau, qui doit ressortir sèche. Démouler et laisser refroidir sur une grille.

3 | Couper le gâteau en deux. Mettre la moitié du gâteau dans un saladier et l'émietter à la fourchette. Ajouter de la pâte de caramel jusqu'à l'obtention d'une consistance pâteuse. Utiliser un moule à minidonuts en silicone et le remplir en tassant bien la pâte ou bien utiliser un emporte-pièce à donuts. Répéter les étapes précédentes avec la seconde moitié du gâteau. Laisser reposer au frais pendant 1 heure.

4 | Préparer le chocolat de couverture en le faisant fondre doucement au bain-marie. Piquer les donuts et les tremper dans le chocolat fondu. Ajouter les vermicelles avant que le chocolat ne soit complètement sec afin qu'ils adhèrent bien aux pop cakes.

Astuce

Vous pouvez utiliser du *candy melts* pour cette recette, qui sèche vite et rend la préparation de ces pop cakes plus simple.

Pop crunchy

Pour 30 pop cakes • **Cuisson :** 20 minutes
Ingrédients : 260 g de farine à levure incorporée • 80 g de poudre de noisettes •
220 g de cassonade • 2 sachets de sucre vanillé • 3 œufs • 20 cl de lait •
100 g de beurre doux • 1 sachet de noisettes entières • 1 pot de pâte au chocolat •
1 plaque de chocolat de couverture • 1 pot de billes de chocolat déco • Piques

1 | Préchauffer le four à 180 °C. Verser la farine, la poudre de noisettes, la cassonade et le sucre vanillé dans un saladier. Bien mélanger.

2 | Casser les œufs dans un bol et verser le lait. Faire fondre le beurre et l'ajouter à la préparation à feu doux. Mélanger rapidement en omelette puis ajouter le mélange à la première préparation. Bien mélanger, jusqu'à l'obtention d'un mélange bien homogène.

3 | Beurrer un moule. Y verser la préparation et faire cuire au four pendant 20 minutes environ. Piquer le gâteau avec un couteau pour vérifier la cuisson. Sortir le gâteau du four et le laisser refroidir sur une grille.

4 | Passer les noisettes au four pour les torréfier puis les mixer grossièrement.

5 | Couper le gâteau en deux et en émietter une moitié à la fourchette ou au mixeur. Répéter les étapes précédentes avec la seconde moitié du gâteau. Ajouter la pâte au chocolat et les noisettes grossièrement concassées à cette mixture.

6 | Façonner des truffes. Faire fondre le chocolat au bain-marie. Piquer les truffes de gâteau et les plonger dans le chocolat. Les faire sécher et décorer de billes de chocolat.

Monstres multicolores

Pour 30 pop cakes • **Cuisson :** 30 minutes
Ingrédients : 6 jaunes d'œufs • 180 g de sucre en poudre • 1 c. à s. de zeste
de citron • 7 blancs d'œufs • 1 c. à s. de beurre • 1 c. à s. de sucre glace • 150 g de
fécule de maïs • 1 pot de lemon curd • 2 ou 3 plaques de chocolat blanc de couverture
(ou un paquet de pépites blanches de *candy melts*) • Colorant alimentaire • 1 tube
de glaçage blanc • 1 pincée de sel • Piques

1 | Verser les jaunes d'œufs dans un grand bol, ajouter 130 g de sucre en poudre et le zeste
de citron puis battre au fouet jusqu'à l'obtention d'une pâte en ruban, c'est-à-dire un mélange
épais et blanc.

2 | Verser les blancs d'œufs et la pincée de sel dans un saladier puis les faire monter en neige
ferme. Ajouter le sucre restant tout en continuant à battre. Le mélange doit être épais, lisse
et brillant.

3 | Préchauffer le four à 160 °C. Beurrer un moule et le saupoudrer de sucre glace.

4 | Ajouter la fécule de maïs et les blancs d'œufs au mélange aux jaunes d'œufs, en alternant
fécule de maïs et blancs d'œufs. Mélanger doucement afin de ne pas casser les blancs. Verser
le mélange obtenu dans le moule et faire cuire au four pendant 30 minutes environ, en
surveillant. Laisser refroidir sur une grille.

5 | Couper le gâteau en deux et l'émietter à la fourchette ou dans un mixeur. Ajouter ensuite
du lemon curd jusqu'à l'obtention d'une consistance de « pâte à modeler ». Façonner
des boules entre les mains. Répéter les étapes précédentes avec la seconde moitié du gâteau.
Déposer les boules sur une assiette et les laisser pendant au moins 1 heure au réfrigérateur
pour qu'elles durcissent un peu.

6 | Préparer le fondant au chocolat blanc en le faisant fondre doucement au bain-marie.
Le chocolat blanc est très délicat à utiliser, il ne faut surtout pas le faire trop cuire. Utiliser des
petites quantités afin de pouvoir varier les couleurs. Il est possible d'utiliser les préparations
américaines, c'est plus simple. Ajouter du colorant et bien mélanger. Planter une pique dans
1 boule et la tremper dans le chocolat. Tourner rapidement pour avoir des striures de chocolat
et faire sécher en plantant la pique dans du polystyrène. Faire de même avec les autres
boules. Quand le chocolat est bien sec, dessiner des yeux avec le tube de glaçage blanc.

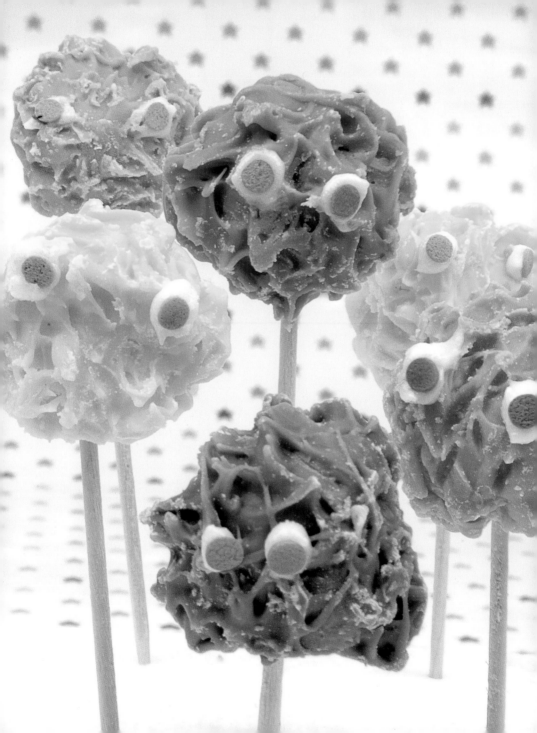

Lovely flowers

Pour 30 pop cakes • **Cuisson :** 1 heure
Ingrédients : 125 g de raisins secs • 1 c. à s. de rhum • 200 g de mélange de fruits confits • 135 g de beurre ramolli • 135 g de sucre en poudre • 3 œufs • 200 g de farine à levure incorporée • 250 g de fromage frais • 1 pot de fondant de 250 g • Colorant rose • 50 g environ de pâte d'amandes verte • 1 pincée de sel • Piques

1 | Faire gonfler les raisins secs dans un bol d'eau tiède avec le rhum. Couper les fruits confits en petits morceaux.

2 | Préchauffer le four à 180 °C. Couper 125 g de beurre en morceaux et les mettre dans un saladier. Ajouter le sucre et mélanger en crème. Ajouter les œufs un à un et bien mélanger. Verser doucement la farine puis ajouter la pincée de sel. Mélanger jusqu'à l'obtention d'une pâte homogène. Ajouter les fruits confits en petits morceaux. Égoutter les raisins et les ajouter. Bien mélanger.

3 | Beurrer un moule à cake et y verser la préparation. Laisser cuire pendant 1 heure en surveillant. Démouler puis faire refroidir sur une grille.

4 | Couper le gâteau en deux et en mettre une moitié dans un saladier. L'émietter à l'aide d'une fourchette ou d'un mixeur. Ajouter ensuite le fromage frais jusqu'à l'obtention d'une pâte. Modeler des boules. Répéter les étapes précédentes avec la seconde moitié du gâteau. Laisser reposer les boules de pâte au réfrigérateur pendant 1 heure.

5 | Délayer le fondant au bain-marie et ajouter le colorant. Planter les boules sur des piques et les tremper dans le fondant en recouvrant bien toute la surface. Laisser sécher.

6 | Étaler la pâte d'amandes au rouleau et y découper des formes de feuille. Poser les feuilles sur le fondant, en appuyant délicatement.

Branches de noisetier

Pour 30 pop cakes • **Cuisson :** 15 minutes
Ingrédients : 200 g de farine à levure incorporée • 100 g de muesli • 100 g de sucre brun en poudre • 1 sachet de sucre vanillé • 100 g de beurre ramolli • 70 g de pépites de chocolat noir • 1 pot de pâte de praliné • 1 paquet de chocolat de couverture • 1 barre de pâte d'amandes verte • 1 bombe alimentaire brillante

1 | Préchauffer le four à 180 °C. Verser la farine dans un saladier. Ajouter le muesli, le sucre brun, le sucre vanillé et le beurre en petits morceaux. Bien mélanger jusqu'à l'obtention d'une pâte puis ajouter les pépites de chocolat.

2 | Recouvrir une plaque de four de papier sulfurisé. Y déposer des petits tas de pâte à l'aide d'une cuillère. Laisser cuire pendant 15 minutes environ et laisser refroidir sur une grille.

3 | Ajouter de la pâte de praliné dans le gâteau jusqu'à l'obtention d'une boule ou d'un mélange compact. Façonner des petites boules dans la paume des mains et les mettre au frais pour qu'elles durcissent un peu.

4 | Faire fondre le chocolat au bain-marie et y tremper les boules puis les faire sécher sur une plaque. Étaler la pâte d'amandes au rouleau à pâtisserie. Découper la pâte d'amandes avec un emporte-pièce en forme de feuille. Coller les feuilles sur les boules. Vaporiser avec la bombe brillante pour un effet bien lisse et clinquant.

Fruits pour dînette

Pour 30 pop cakes • **Cuisson** : 30 minutes
Ingrédients : 160 g de beurre ramolli • 150 g de sucre en poudre • 2 œufs + 1 jaune •
150 g de farine à levure incorporée • 1 orange • 1 pot de pâte de spéculoos •
1 pot de fondant • Colorants • Piques

1 | Couper 150 g de beurre en morceaux et les mettre dans un saladier. Ajouter le sucre et travailler en crème. Ajouter un à un les œufs en mélangeant bien puis verser la farine.

2 | Bien laver l'orange et prélever les zestes à l'aide d'un zesteur. Presser ensuite le jus. Ajouter zestes et jus à la pâte.

3 | Préchauffer le four à 180 °C. Beurrer un moule et y verser la pâte. Laisser cuire pendant 30 minutes environ. Démouler et laisser refroidir.

4 | Couper le gâteau en deux et mettre une moitié dans un saladier. Émietter à la fourchette ou dans un robot. Ajouter de la pâte de spéculoos et travailler jusqu'à la consistance d'une pâte. Façonner des petits fruits à la main ou à l'aide d'emporte-pièces. Répéter les étapes précédentes avec la seconde moitié du gâteau. Laisser reposer pendant 1 heure au frais.

5 | Préparer le fondant. Faire chauffer de petites quantités de fondant, les colorer et y tremper les fruits plantés sur des piques. Laisser sécher sur une plaque de polystyrène. Remodeler avec les doigts si nécessaire.

Love pop

Pour 30 pop cakes • **Cuisson :** 30 minutes

Ingrédients : 200 g de chocolat noir corsé • 135 g de beurre • 4 œufs • 200 g de sucre en poudre • 100 g de farine à levure incorporée • 1 pot de gelée de cerise • 1 pot de fondant • Colorant rouge • Sucre en paillettes rouge • 1 pincée de sel • Piques

1 | Préchauffer le four à 180 °C. Casser le chocolat en morceaux et le mettre dans une casserole. Ajouter 125 g de beurre en morceaux et laisser fondre doucement. Casser les œufs en séparant les blancs des jaunes. Ajouter le sucre aux jaunes d'œufs et battre au fouet jusqu'à ce que le mélange blanchisse. Incorporer au chocolat.

2 | Monter les blancs en neige ferme avec la pincée de sel, puis les ajouter à la préparation au chocolat en alternant avec la farine. Verser la pâte dans un moule beurré et faire cuire pendant 30 minutes environ. Démouler et laisser refroidir sur une grille.

3 | Couper le gâteau en deux et en mettre une moitié dans un saladier, puis l'émietter à l'aide d'une fourchette ou d'un robot. Ajouter la gelée de cerise jusqu'à ce que la consistance soit pâteuse. Former des cœurs soit à l'aide d'un moule en forme de cœur soit en découpant la pâte à l'aide d'un emporte-pièce que vous allez remplir puis démouler. Répéter les étapes précédentes avec la seconde moitié du gâteau. Laisser durcir au réfrigérateur pendant 1 heure environ.

4 | Préparer un fondant épais en le faisant fondre doucement au bain-marie. Ajouter du colorant rouge puis y tremper les cœurs. Les faire sécher sur des piques plantées dans du polystyrène ou à plat, mais il faudra alors retremper ou lisser l'autre côté. Décorer les côtés avec du sucre en paillettes.

Duel de fantômes

Pour 30 pop cakes • **Cuisson** : 30 minutes
Ingrédients : 4 œufs • 125 g de sucre en poudre • 1 c. à c. de café soluble •
135 g de farine • 85 g de beurre fondu • 1 sachet de chocolat blanc • 1 sachet
de chocolat au lait • 1 paquet de billes au chocolat • 1 pincée de sel • Piques

1 | Préchauffer le four à 160 °C. Casser les œufs dans un saladier puis ajouter le sucre et
le sel. Mettre le saladier au bain-marie dans une casserole d'eau bouillante. Fouetter
le mélange au batteur électrique jusqu'à ce que le mélange monte de 8 mm. Laisser
refroidir en enlevant le saladier de la casserole, mais sans cesser de battre.

2 | Délayer le café soluble dans un peu d'eau et l'ajouter au mélange. Incorporer ensuite
125 g de farine petit à petit. Ajouter 75 g de beurre fondu tout en mélangeant. Beurrer
et fariner un moule puis y verser la préparation. Faire cuire au four pendant 30 minutes.
Laisser refroidir sur une grille.

3 | Étaler la pâte à la main sur 1 cm. Découper des formes de bonshommes à l'emporte-
pièce. Laisser au frais pendant 1 heure environ.

4 | Faire fondre séparément les chocolats au bain-marie. Planter les gâteaux sur des piques
puis les tremper dans le chocolat en alternant le blanc et le noir. Placer les billes pour faire
des yeux. Laisser sécher avant de servir.

Dance pop

Pour 30 pop cakes
Ingrédients : 1 paquet de Petits Lu® • Nutella® • 1 pot de fondant • Smarties®

1 | Mettre les biscuits dans le bol d'un mixeur et les réduire en poudre. Verser cette poudre dans un saladier et y ajouter du Nutella®. Travailler le mélange à l'aide d'une cuillère en bois et continuer à ajouter du Nutella® jusqu'à ce que le mélange soit pâteux.

2 | Former des boules dans la paume des mains et laisser refroidir au réfrigérateur.

3 | Faire fondre le fondant au bain-marie et y tremper les boules. Veiller à les recouvrir entièrement puis laisser sécher. Recouvrir complètement les boules de Smarties®.

Sucettes surprises

Pour 30 pop cakes • **Cuisson :** 12 minutes
Ingrédients : 175 g de sucre glace • 125 g de poudre d'amandes • 110 g de blancs
d'œufs • 75 g de sucre en poudre • Colorant rouge • Confiture de framboises •
1 pot de fondant de 250 g • Colorant alimentaire violet • Sucres déco

1 | Verser le sucre glace dans un robot et le réduire en poudre très fine. Faire de même avec la poudre d'amandes. On peut également tamiser le sucre et la poudre d'amandes.

2 | Monter les blancs d'œufs en neige ferme et ajouter le sucre en poudre quand ils commencent à monter. La préparation doit être lisse, ferme et brillante. Ajouter ensuite la poudre d'amandes. Mélanger avec une corne en plastique ou une grande spatule en silicone. La préparation doit devenir moelleuse et comme un ruban. Colorer la pâte avec le colorant rouge.

3 | Préchauffer le four à 160 °C. Garnir une plaque de four de papier sulfurisé et y déposer des petits tas à l'aide d'une cuillère à café. Laisser croûter pendant 20 minutes environ. Faire cuire au four pendant 12 minutes. Laisser refroidir sur une grille.

4 | Réduire les macarons en poudre à l'aide d'une fourchette et ajouter de la confiture de framboises au fur et à mesure. La pâte doit se tenir. Former des bâtonnets et laisser reposer pendant 1 heure au frais.

5 | Préparer le fondant en le faisant fondre au bain-marie. Ajouter du colorant violet. Remuer jusqu'à ce que le mélange soit liquide mais pas trop. Enrober les bâtonnets et laisser sécher. Coller doucement les décorations.

Celebration time

Pour 30 pop cakes • **Cuisson :** 10 minutes
Ingrédients : 4 œufs • 125 g de sucre en poudre • 125 g de farine à levure incorporée •
125 g de beurre doux • 2 c. à s. d'eau de fleur d'oranger • 1 barquette de fromage frais •
1 pot de fondant • Colorant bleu • Étoiles en sucre • Piques

1 | Préchauffer le four à 180 °C. Casser les œufs dans un saladier. Verser le sucre dessus
et battre le mélange au fouet jusqu'à ce qu'il blanchisse. Ajouter ensuite la farine petit
à petit. Faire fondre le beurre à feu doux et le verser dans la pâte. Mélanger le tout
vigoureusement jusqu'à l'obtention d'une pâte lisse. Ajouter l'eau de fleur d'oranger.

2 | Remplir aux 3/4 des moules à madeleine et faire cuire pendant 10 minutes environ.
Vérifier la cuisson puis sortir les madeleines du four. Démouler et laisser refroidir
sur une grille.

3 | Émietter les madeleines à la fourchette dans un saladier. Ajouter le fromage frais et
travailler en pâte. Former des boulettes dans la paume de la main et les laisser reposer
au frais pendant 1 heure environ.

4 | Faire fondre le fondant au bain-marie. Le colorer avec le colorant alimentaire bleu,
en fonction de l'intensité voulue. Planter les boules sur des piques et les tremper
dans le glaçage. Laisser sécher et décorer avec des étoiles en sucre.

Minicup cakes

Pour 30 pop cakes • **Cuisson** : 40 minutes
Ingrédients : 135 g de beurre • 200 g de sucre en poudre • 2 œufs • 240 g de farine •
25 cl de crème aigre • 1 pincée de bicarbonate de soude • 1 c. à s. de zestes de citron •
1 pot de pâte de calissons • 1 pot de glaçage de 250 g • 1 tube de colorant bleu • 1 tube
de glaçage à cup cakes • 1 pot de perles en sucre

1 | Préchauffer le four à 180 °C. Couper 125 g de beurre en morceaux et les mettre dans un
saladier. Ajouter le sucre et travailler en crème. Ajouter les œufs, la farine, la crème aigre
et le bicarbonate de soude. Mélanger vigoureusement puis ajouter les zestes de citron.

2 | Beurrer un moule à cake et y verser la pâte. Laisser cuire pendant 40 minutes environ.
Vérifier la cuisson en piquant le cake avec la pointe d'un couteau. Démouler et laisser
refroidir sur une grille.

3 | Couper le cake en deux et mettre une moitié dans un saladier. L'émietter à la fourchette
ou à l'aide d'un robot. Ajouter la pâte de calissons jusqu'à l'obtention d'une texture assez
dense. Modeler des petits cylindres. Répéter les étapes précédentes avec la seconde
moitié du cake. Les laisser durcir au réfrigérateur pendant 1 heure.

4 | Préparer le glaçage en le faisant fondre au bain-marie puis le colorer en bleu. Préparer
ou acheter un glaçage rose en tube à base de sucre. Décorer le glaçage bleu avec des
volutes de glaçage rose, réalisées avec une douille bisautée. Ajouter des perles.

Pop sisters

Pour 30 pop cakes • **Cuisson** : 1 heure
Ingrédients : 160 g de beurre • 200 g de sucre en poudre • 4 œufs • 10 cl de lait •
300 g de farine à levure incorporée • 2 c. à s. de cacao en poudre • 2 sachets de sucre
vanillé • 1 pot de beurre de cacahuètes de 250 g • 1 plaque de moules à chocolat
en forme d'escargot • 1 sachet de chocolat blanc spécial glaçage • 1 pot de billes
de couleur • 1 pot de minibilles multicolores en sucre

1 | Préchauffer le four à 180 °C. Faire fondre 150 g de beurre à feu doux. Le verser dans
un saladier et ajouter le sucre en poudre. Bien mélanger.

2 | Casser les œufs en séparant les blancs des jaunes puis ajouter les jaunes à la préparation
précédente. Mélanger à l'aide d'une cuillère en bois. Ajouter le lait puis la farine. Battre
les blancs en neige ferme et les incorporer délicatement à la préparation.

3 | Séparer la pâte en deux moitiés égales. Dans l'une, ajouter le cacao, dans l'autre, le sucre
vanillé. Mélanger chaque pâte. Beurrer un moule et y verser les pâtes alternativement, afin
d'obtenir un beau marbré. Laisser cuire pendant environ 1 heure en vérifiant la cuisson.
Démouler et laisser refroidir sur une grille.

4 | Couper le gâteau en deux et y ajouter du beurre de cacahuètes. Le travailler en pâte
légèrement ferme. Remplir la moitié des moules en forme d'escargot de pâte. Répéter
les étapes précédentes avec la seconde moitié du gâteau. Réserver au frais pendant
1 heure environ.

5 | Démouler délicatement. Faire fondre le chocolat blanc et y tremper les escargots.
Laisser sécher, décorer les pop cakes avec des billes de couleur et former des yeux
avec les billes avant que le glaçage ne soit complètement pris.

Symphonie de roses

Pour 30 pop cakes • **Cuisson :** 15 minutes
Ingrédients : 100 g de beurre ramolli • 100 g de sucre en poudre • 1 sachet de sucre vanillé • 2 jaunes d'œufs • 150 g de farine • 70 g de poudre d'amandes • 5 ou 6 c. à s. de crème de caramel • 1 paquet de chocolat de glaçage blanc *candy melts* • Boules de chocolat blanc • 1 tube de glaçage rose à paillettes • 1 barre de pâte d'amandes blanche • 1 barre de pâte d'amandes rose • Minimarshmallows

1 | Mettre le beurre coupé en morceaux, le sucre en poudre et le sucre vanillé dans un saladier. Mélanger jusqu'à l'obtention d'une pâte blanche. Ajouter 1 jaune d'œuf, mélanger vigoureusement puis ajouter le second. Incorporer ensuite la farine et la poudre d'amandes. Bien mélanger afin d'obtenir un mélange souple et lisse.

2 | Remplir une poche à douille cannelée et déposer des petits bâtonnets sur une plaque de four garnie de papier sulfurisé. Laisser reposer pendant 1 heure au frais. Préchauffer le four à 160 °C puis faire cuire pendant 15 minutes.

3 | Passer les bâtonnets au robot et en verser les miettes dans un saladier. Ajouter le caramel afin de former une pâte. Façonner de petits dômes de pâte et les laisser au frais pendant 1 heure.

4 | Faire fondre le glaçage au bain-marie et y plonger les dômes de pâte. Laisser sécher et durcir. Coller 1 boule de chocolat blanc sur le dessus de chacun d'eux. Avec le tube rose, dessiner une guirlande et ajouter un point de peinture pailletée sur la boule du milieu.

5 | Étaler la pâte d'amandes au rouleau et y découper des disques. Les assembler afin de réaliser une rose. Décorer les piques des pop cakes en y plantant des minimarshmallows.

Trésors gourmands

Pour 30 pop cakes • **Cuisson** : 10 minutes
Ingrédients : 50 g de beurre ramolli • 200 g de sucre en poudre • 3 œufs •
250 g de noix de coco râpée • 1 pot de curd aux fruits de la Passion • 1 pot de fondant •
Colorant alimentaire bleu • Petits bonbons

1 | Préchauffer le four à 140 °C. Mettre le beurre ramolli et coupé en petits morceaux,
le sucre et les œufs entiers dans un cul-de-poule. Battre jusqu'à ce que la préparation
soit homogène puis ajouter la noix de coco.

2 | Garnir une plaque de four de papier sulfurisé. Y déposer des petits tas de pâte et faire
cuire pendant 10 minutes. Laisser refroidir sur une grille.

3 | Mettre les gâteaux dans un saladier et les écraser à la fourchette. Ajouter le curd petit
à petit et former une boule de pâte. Prélever des petits bouts de pâte et façonner
des petits puits. Les laisser reposer au frais pendant 1 heure.

4 | Faire fondre le fondant au bain-marie et le colorer en bleu avec le colorant alimentaire.
Tremper les puits dans le nappage puis les laisser sécher. Remplir les puits de bonbons.

Pop poussins

Pour 30 pop cakes • **Cuisson** : 30 minutes
Ingrédients : 1 pot de yaourt au lait entier à la vanille • 3 pots à yaourt de farine à levure incorporée • 2 œufs frais • 2 pots à yaourt de sucre roux en poudre • 1 sachet de sucre vanillé • 1/2 pot à yaourt d'huile d'olive fruitée • Beurre • 5 à 6 c. à s. de lemon curd • 1 pot de fondant de 250 g • Colorant alimentaire jaune • Billes de sucre • 1 pincée de sel • Piques

1| Préchauffer le four à 180 °C. Verser le yaourt dans un saladier. Ajouter la farine en mélangeant bien. Casser les œufs un à un. Verser ensuite le sucre roux et le sucre vanillé, l'huile d'olive fruitée et la pincée de sel. Mélanger vigoureusement jusqu'à l'obtention d'une pâte lisse.

2| Beurrer un moule ou le chemiser de papier sulfurisé. Y verser la pâte et faire cuire pendant 30 minutes environ. Vérifier la cuisson en plantant la pointe d'un couteau dans le gâteau, elle doit ressortir sèche. Démouler et laisser refroidir sur une grille.

3| Couper le gâteau en deux. En mettre une moitié dans un saladier et l'émietter à la fourchette. Ajouter le lemon curd jusqu'à ce que la pâte soit collante. Former des boules dans les mains. Répéter les étapes précédentes avec la seconde moitié du gâteau. Laisser durcir les boules au frais pendant 1 heure environ.

4| Préparer le glaçage en mettant du fondant dans un bol au bain-marie. Colorer la pâte avec le colorant jaune. Piquer 1 boule sur une pique et la tremper dans le fondant. Répéter l'opération jusqu'à épuisement des ingrédients. Laisser sécher les boules puis former un bec et des yeux avec les billes de sucre.

Variante
Remplacez le lemon curd par de l'orange curd. Vous pouvez aussi utiliser un yaourt au lait nature.

Cueillette d'automne

Pour 30 pop cakes • **Cuisson :** 12 minutes
Ingrédients : 1 c. à s. de thé earl grey • 80 g de beurre doux • 60 g de sucre
en poudre • 2 œufs • 100 g de farine à levure incorporée • 40 g de miel • 1 pot de pâte
de chocolat blanc • 400 g de chocolat de couverture blanc • Peinture alimentaire ou
feutre alimentaire rouge

1 | Préchauffer le four à 160 °C. Porter à ébullition 10 cl d'eau et y faire infuser le thé pendant quelques minutes, mais pas trop longtemps pour éviter qu'il ne devienne amer. Enlever le sachet ou la cuillère à thé et ajouter le beurre. Laisser fondre doucement.

2 | Travailler le sucre et les œufs au fouet jusqu'à ce que le mélange blanchisse. Y ajouter la farine, le mélange beurre-thé et le miel. Bien mélanger, la pâte doit être belle et lisse.

3 | Remplir des moules à madeleine aux 3/4 et faire cuire pendant 10 minutes environ. Vérifier la cuisson et faire cuire encore de 1 à 2 minutes. Sortir les madeleines du four, les démouler et les laisser refroidir sur une grille.

4 | Mettre les madeleines dans un saladier et les écraser à la fourchette. Ajouter la pâte de chocolat blanc et mélanger jusqu'à l'obtention d'un mélange assez dense. Mettre au frais.

5 | Utiliser un moule à chocolats en forme de champignons. Faire fondre le chocolat blanc au bain-marie puis le couler dans les moules. Attendre que le chocolat durcisse. Démouler délicatement un côté et le remplir de la pâte à madeleines. Ajouter l'autre partie qui doit se coller à la pâte. Dessiner avec le feutre rouge des ronds rouges, des taches...

Robots... pop

Pour 30 pop cakes • **Cuisson :** 45 minutes
Ingrédients : 400 g de miel de sapin • 400 g de farine de seigle • 2 sachets de levure chimique • 1 c. à s. d'épices à pain d'épice • 2 œufs • 80 g de beurre ramolli • 30 g d'amandes grillées • 1 pot de pâte au chocolat • 1 pot de fondant • Colorant alimentaire vert • Bonbons • 1 pincée de sel

1 | Faire chauffer le miel dans une casserole et porter doucement à ébullition. Verser la farine, la levure et les épices dans un saladier. Ajouter le miel, mélanger puis pétrir la pâte afin d'obtenir une masse épaisse.

2 | Ajouter les œufs, le beurre puis le sel. Pétrir pendant une dizaine de minutes puis laisser reposer pendant 2 heures environ. Verser la pâte dans un moule à cake et faire cuire au four à 180 °C pendant 45 minutes environ. Démouler sur une grille et laisser refroidir.

3 | Couper le gâteau en deux et l'émietter à la fourchette ou au robot. Faire griller les amandes à la poêle puis les passer au mixeur pour les réduire en poudre. Verser la poudre obtenue dans les miettes de pain d'épice. Ajouter le chocolat jusqu'à l'obtention d'une consistance pâteuse. Former des cubes. Répéter les étapes précédentes avec la seconde moitié du gâteau. Laisser les cubes au frais pendant 1 heure.

4 | Préparer le fondant en le faisant fondre au bain-marie. Colorer en vert avec le colorant. Enrober les cubes de glaçage et laisser sécher. Décorer avec les bonbons.

À l'abordage !

Pour 30 pop cakes • **Cuisson** : 15 minutes
Ingrédients : 515 g de farine • 270 g de beurre ramolli • 250 g de sucre en poudre •
3 œufs • Les zestes de 1 orange • 2 c. à s. de cannelle moulue • 1 jaune d'œuf pour
dorer • Orange curd • 1 pot de fondant • Colorant alimentaire jaune • Sucre scintillant
ou pailleté • Feuilles de pain azyme • Cure-dents

1 | Faire une fontaine avec 500 g farine dans un saladier. Ajouter 250 g de beurre ramolli
coupé en petits morceaux, le sucre, les œufs, les zestes d'orange et la cannelle. Mélanger
du bout des doigts jusqu'à l'obtention d'une pâte souple. Former une boule avec la pâte et
la laisser reposer au frais pendant 1 nuit.

2 | Sortir la pâte du réfrigérateur et l'abaisser sur environ 4 mm d'épaisseur sur une table
farinée. Y découper des disques à l'aide d'un emporte-pièce ou rouler une grande plaque.
Mettre les disques de pâte sur une tôle beurrée ou garnie de papier sulfurisé et les dorer
au jaune d'œuf.

3 | Faire cuire au four à 180 °C pendant 15 minutes environ. Sortir les biscuits du four et les
laisser refroidir sur une grille.

4 | Réduire les biscuits au mixeur. Ajouter de l'orange curd pour en faire une boule de pâte.
Faire ensuite de très petites formes ; c'est très sucré et pas si simple à manipuler, car
fragile. Laisser reposer pendant 2 heures au frais.

5 | Faire fondre le fondant au bain-marie, le colorer en jaune et glacer le haut des gâteaux.
Tremper le bord des gâteaux dans le sucre scintillant. Découper le papier mangeable
(pain azyme) en carrés puis en triangles et les piquer sur des cure-dents pour réaliser
des voiles.

Index

Remerciements

Merci à Céline et à toute l'équipe de Tana.
Merci à mes enfants, Hugo, Edgar et Basile qui ont adoré fabriquer, modeler, colorer et glacer les pop cakes !
Stéphanie de Turckheim

Crédits photographiques

Toutes les photographies de l'ouvrage sont de Sophie Mutterer.

Coordination éditoriale : Sophie Zeegers
Conception graphique : Jean-Louis Massardier
Mise en pages : Sylvain Kaslin
Photogravure : Peggy Huyhn-Quan-Suu
Fabrication : Stéphanie Parlange et Cédric Delsart

© 2012, Tana éditions
ISBN : 978-2-84567-753-1
Dépôt légal : mars 2012
Achevé d'imprimer en mars 2012
Imprimé en Espagne

www.tana.fr